D1479778

SECRET DIVORCE

SOPHIE MICHARD

Illustré par Lætitia Lesaffre

Dans la même collection :

- *Surprise Party,* d'Alice Caye
- *Double Duel,* de Nancy Boulicault
- *Train 2055,* d'Alice Caye

L'Éditeur tient à remercier particulièrement :
– Madame Michèle Courtillot, professeure agrégée,
chargée de mission auprès du recteur de l'Académie de Paris ;
– Madame Sabine Delfourd, professeure des écoles à l'École
active bilingue Monceau, Paris ;
– Madame Martina Mc Donnell, enseignante-chercheuse
au département de Langues et Sciences humaines
de l'Institut national des Télécommunications (INT), Évry ;
pour leurs précieux conseils.

Avec la participation de Regan Kramer.

Création graphique et mise en page : Zoé Production.

Chapitre 1
Une grande nouvelle

On devrait toujours se méfier quand les parents entrent dans votre chambre en disant : « Pauline, on a quelque chose à te dire. »

J'ai senti comme une petite boule monter dans ma gorge, le truc qui fait « gloups » dans les bandes* dessinées. J'ai donc eu un gloups.

Car je savais que c'était pour m'annoncer un événement grave. Deux indices : d'abord, ils étaient là tous les deux. Or, en général, quand c'est pour me dire de ranger ma chambre, ma mère s'y met toute seule, en hurlant et sans prendre la peine de frapper à la porte. De plus, ils m'ont appelée Pauline, ce qui n'arrive presque jamais puisque, à la maison, Pauline devient Popo, ce qui fait hurler de rire mes copines. Pourquoi ça les fait hurler de rire ? Parce que « Popo » en anglais, ça veut dire caca en langage bébé. J'ai eu le malheur de dire ça un jour à Sarah et Alix, les deux qui squattent ma chambre tous les mercredis.

Impossible de me souvenir précisément de ce que j'étais en train de faire quand Papa et Maman sont entrés dans ma chambre. En tout cas, j'étais assise sur

le lit puisque ils m'y ont rejointe. Après mon gloups, j'ai dit en tremblant :

– Oui, quoi ? Qu'est-ce qui se passe ?

Sincèrement, je pensais que c'était pour m'annoncer la mort de ma grand-mère ou de mon chat (j'ai vérifié en un quart de seconde, mais ce gros lard dormait sur ma chaise).

J'attendais qu'ils parlent et c'est mon père qui a commencé. C'était encore plus mauvais signe.

– On voulait te dire que… que… (mon père cherchait ses mots) que entre Maman et moi, ça ne se passe plus très bien, on a pris la décision de se séparer.

Ouf !

J'ai poussé un énorme soupir de soulagement, ce n'était donc que ça ! Ils semblaient tellement effondrés, j'ai failli les consoler. Franchement, des parents qui se séparent, ça arrive si souvent qu'on ne sait même plus dans la classe qui a encore ses deux parents ensemble. Surtout les miens, d'ailleurs, car ils se sont déjà séparés deux fois ! Ça a duré deux mois à chaque fois. J'ai fait un rapide calcul dans ma tête. On était en juin. En septembre, ils se réconciliaient et on n'en parlait plus.

Parfois, les choses simples se compliquent vite. OK, c'était simple, mes parents se séparaient. Ce n'était pas la fin du monde. Et on aurait très bien pu s'arrêter là.

Mais, mon père a continué à parler. Il a dit :

– On a encore quelque chose d'important à te dire.

Je n'ai pas pu m'empêcher de faire une blague :

– Vous avez décidé de m'acheter un IPod et vous voulez que je choisisse la couleur ?

Mon père m'a lancé un regard inquiet, il a dû penser : « Pauvre petite, elle ne se rend pas compte, elle devient folle. »

– Non, on voulait t'annoncer que ta mère a décidé de retourner vivre à Dublin et on pense tous les deux, même si cela sera difficile pour moi, que ce serait mieux si tu partais avec elle.

Et, voilà, la cerise sur le gâteau ! En fait, c'est là que j'ai pleuré. J'ai hurlé :

– C'est pas juste, vous n'avez pas le droit ! Papa, je veux rester avec toi à Paris.

D'accord, ma mère est irlandaise. Mais moi, je ne suis ni française ni irlandaise, je suis parisienne. J'adore Dublin, mais c'est surtout pour voir ma grand-mère, mes tantes et mes cousins. Je n'ai jamais imaginé y vivre.

On a discuté des heures ensemble, mais je savais bien que c'était perdu d'avance. D'abord parce que ma mère n'envisageait pas du tout de partir sans moi. Ensuite parce que mon père, qui est cuisinier*, possède son propre restaurant et n'est jamais là le soir. J'ai bien essayé aussi de convaincre ma mère de rester à Paris. Mais, elle est informaticienne* et les opportunités de travail dans son domaine sont bien meilleures à Dublin qu'à Paris.

C'était clair, ils avaient bien réfléchi à la question et, au moins, pour une fois, ils étaient d'accord.

Mon père avait réponse à tout. Espérant une dernière fois les faire revenir en arrière, j'ai dit que c'était vraiment trop horrible de ne plus voir Papa tous les jours. Il m'a répondu :

– Mais, c'est déjà, hélas, la situation actuelle. Tu pars à l'école le matin, je ne suis pas réveillé et quand je rentre la nuit, tu es endormie. Au moins, on se verra vraiment pendant les vacances. Et je vais installer une webcam sur mon ordinateur au restaurant pour qu'on puisse se voir quand tu m'appelleras. Je pourrai même t'expliquer deux ou trois choses en maths.

– En plus, a ajouté ma mère, ce n'est pas comme si tu partais dans un endroit totalement inconnu. Tu adores Dublin et tu iras dans la même école que tes cousins. Tu te souviens, tu voulais toujours y aller avec eux quand tu étais petite !

C'était le coup de grâce.

Mes trois cousins fréquentaient une école qui ressemblait à un château fort, l'établissement était tenu par des religieuses catholiques encore plus sadiques que mon prof d'histoire-géo. Et bien sûr, ils étaient obligés de porter un uniforme.

J'ai sangloté :

– Je ne veux pas porter d'uniforme.

Mes parents m'ont regardée, très surpris, et ma mère a repris les choses en main : « Popo, s'il n'y a que ça qui t'embête, je te promets que je me renseignerai pour savoir s'il y a des places à l'École française. Ils n'ont pas d'uniforme. »

Elle avait la main sur la poignée de la porte et elle ajouta :

– Dans notre nouvelle maison, on s'arrangera pour que tu aies un grand lit. Comme ça, quand Alix et Sarah viendront te rendre visite, vous pourrez dormir ensemble.

Plus tard dans la soirée, j'ai demandé d'autres détails à ma mère. Je voulais savoir où on allait habiter, elle et moi. Elle me précisa alors que nous irions d'abord chez ma grand-mère le temps de trouver une maison. En tous cas, à sa façon de me donner une foule de détails, je compris que la décision ne datait pas d'hier.

Encore que… aucun des deux n'avait prononcé le mot « divorce ». C'était ma petite lueur d'espoir.

Je suis partie me coucher en me disant que tout cela n'était sans doute que provisoire. Dans deux mois, ils se rendraient compte qu'ils ne pouvaient pas vivre l'un sans l'autre et tout rentrerait dans l'ordre. Comme avant. Je décidai de faire des efforts en juillet-août pour être une fille parfaite. Pas de caprices, pas de vêtements sales qui traînent, le lave-vaisselle vidé régulièrement, les poubelles descendues… Avec une atmosphère de rêve à la maison, ils changeraient sûrement d'avis.

En attendant, il me restait une semaine d'école avant les grandes vacances. Une toute petite semaine pour faire mes adieux à mes copines.

Chapter 2
Losing My Friends

I didn't sleep very well that night. I was tired but I couldn't fall asleep. Lots of questions were going through my head, and I needed answers right away. Finally, around midnight, I got up again. My mother wasn't asleep either; she was in the kitchen, drinking tea.

"Popo, why aren't you asleep? It's quite late, you know."

"Mum, why do you think I can't sleep?"

"OK, honey, I know it wasn't a very pleasant evening, but remember that we used to talk about moving to Dublin…"

"Yes, but Dad was coming with us to open a French restaurant, not leaving us and staying in Paris alone!"

"Alright, I know this is difficult, but you know, it's hard for me too."

"Mum, I have to tell you, I don't really mind about you and Dad are splitting up. After all, that's your business, not mine. But the hard part about it is changing school and losing my friends."

"Popo, true friends are forever. It's not because you won't see them every day that they'll stop being your

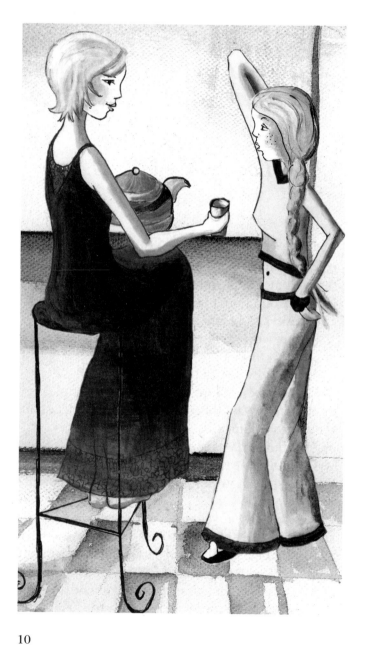

friends. You can phone them, send them e-mails, even write them letters and you will see them during the holidays when you come to Paris to see Dad."

"Mum, you know it's not the same, even you say so. Since you moved to France, you never speak to your Dublin friends!"

"Don't mix everything up, Popo! I can't see my friends anymore because they have four or five children and they can't get away to spend a week's holiday in Paris. By the way, when we're in Dublin, I'm counting on to seeing them again. And you'll make new friends, you might even get on with their children."

"That's not very likely! Irish girls my age are stupid."

"Popo, don't forget, you're an Irish girl too!"

"And how are we going to settle at Grandma's? That'll be a real nightmare. Even you always say her house is draughty*, that it takes a sweater and socks to sleep there in winter. Do you think I want to live there?"

"It won't be for long! Just long enough for us to find our own place. I'd rather wait until we get to Dublin to visit houses and be sure to find the right place. We'll try to find some place close to Grandma's, maybe by the sea."

"That's no fun, it's too cold to swim."

"True, but it's pretty. Do you remember the two seals*, by the fishmongers* in Dun Laoghaire harbour*? They would always give us fish heads to feed the seals!"

"Mum, that was funny when I was five. Those two seals, even if they're still there, won't replace Sarah and Alix."

"Popo, please go back to bed or you'll never get up tomorrow."

"No, I have other questions to ask you."

"OK, but make it quick."

"Will we live in a house or in a flat?"

"I don't know yet. That'll depend on what we find. We will visit together if you wish, that way you'll help me choose."

"I think I would prefer a flat."

"There are very pleasant houses… and some of them even have heating."

"But Mum, what will I do about the Gaelic* classes?"

"I'll help you, and so will Grandma and your cousins."

"Will I have to walk to school?"

"Popo, I can't answer that yet, but if you remember, Dublin is a fairly civilised place, there are buses…"

"I'm afraid it's going to be awful, I'll have to get up at 6 am to get to the other side of the city."

"Relax, in Dublin school finishes at 2.30 pm. You'll have a lot more spare time than in Paris!"

"Yes, but what's the use of having spare time if I don't have my friends anymore?"

"But you'll make new friends, don't worry."

"It'll take years, I met Sarah and Alix in nursery school!"

"In the first place, at least you'll have your cousins, I intend to find a house close to their place. Your aunt drives them to school every morning, she can take you too."

"If I go to the same school."

"Of course."

"What if I go to the French school?"

"Then we'll make other arrangements."

"Mum, when will we know all this?"

"Popo, there is already a place for you in your cousins' school, but I'll try the French school tomorrow."

"How long have I had a place in that school?"

"For a week."

"And why didn't you tell me all this a week ago?"

"Because it wasn't easy to say. Now go back to bed."

"Mum?"

"Yes?"

"Does Grandma know that we'll be living with her yet?"

"Yes, she does."

"Since when?"

"I told her a week ago."

"So why didn't she mention it two days ago when I spoke to her?"

"Because I had asked her not to tell you before Dad and I had this conversation with you."

"OK, now I understand."

"Now you understand what?"

"I understand why Grandma was so weird on the phone. She was really nice, she asked about about my friends and the cat ten times and she didn't mention school once while usually she always wants to know if I am one of the best at school."

"It must have been hard for her to pretend everything was as usual."

"Mum?"

"Yes, Popo?"

"What I said wasn't true."

"What?"

"That I didn't care about you and Dad splitting up. That really hurts, but I hope you'll change your mind soon."

"Honey, that would really surprise me, our minds are made up ."

"Mum, that's what you said last time."

I went back to bed without waiting for her to answer. But she didn't really feel like answering anyway.

Chapitre 3
Petit mensonge

Le lendemain matin, il faisait très beau et je me suis réveillée de bonne humeur. La fin du mois de juin était la période la plus agréable pour aller à l'école. On ne mettait pas des heures à se lever et à s'habiller et puis les conseils de classe étaient passés, il n'y avait plus de contrôles, on passait la plupart du temps à s'amuser.

Brusquement je me suis souvenue que quelque chose clochait dans ma vie. Ah, oui ! Je quittais Paris et j'allais habiter à Dublin avec ma mère à partir du mois de septembre.

Sarah et Alix étaient déjà en train de bavarder devant la salle de classe quand je suis arrivée. On s'embrassa et Alix me dit alors :

– Tu ne connais pas la grande nouvelle ?

– Non, répondis-je, un peu embarrassée, car j'avais tellement préparé ce que j'allais leur dire qu'il me semblait étrange de parler d'autre chose.

– Vas-y, Sarah, dis-lui !

– Bon, ben, voilà, mon père est muté* à Madrid et on part tous là-bas au mois de septembre pour la rentrée, m'annonça Sarah avec une tête d'enterrement.

La seule chose que j'ai trouvé à dire à ce moment-là, c'est :

– Moi aussi.

Alix se tourna vers moi :

– Comment ça « toi aussi » ? Ton père aussi est muté ?

C'est à ce moment-là que les choses se gâtèrent. Je n'avais pas vraiment décidé de leur mentir mais plutôt de repousser le moment où il faudrait leur dire toute la vérité à propos de mes parents. Comme j'avais encore l'espoir que leur séparation ne serait que provisoire*, j'ai raconté un peu n'importe quoi.

– Oui, il prend la direction d'un nouveau restaurant à Dublin et on part habiter là-bas.

Alix avait les larmes aux yeux :

– Oh, non les filles, vous ne pouvez pas me faire ça ! Vous partez toutes les deux ! Et moi, qu'est-ce que je deviens ?

Sarah parla la première :

– Si j'avais le choix, tu vois, je resterais ici.

– Moi aussi, dis-je.

Décidément, aujourd'hui, la seule phrase qui me venait à l'esprit, c'était : « Moi aussi. »

On se mit d'accord pour finir la semaine chez les unes ou les autres pour rester ensemble quoi qu'il arrive pendant ces huit derniers jours. De toute façon, vu les circonstances, les parents ne pouvaient rien nous refuser cette semaine.

Je pris vraiment conscience de mon mensonge quand Alix vint passer la nuit à la maison. Ma mère dînait avec nous, quand Alix se mit en tête de lui demander une foule de détails sur l'Irlande. Elle était toujours comme ça avec ma mère, elle essayait de se montrer sous son meilleur jour, elle faisait sa bien-élevée, demandait quinze fois pardon et douze fois s'il vous plaît. Rien à voir avec son comportement chez elle, carrément une autre personne.

– Est-ce qu'il y a beaucoup de gens pauvres en Irlande ? demanda Alix.

– Eh bien, il y en avait beaucoup avant, répondit ma mère, c'est pour cela que les Irlandais ont émigré en masse vers les États-Unis, l'Australie ou l'Afrique du Sud. Mais aujourd'hui, ce n'est plus le cas. Depuis que l'Irlande est entrée dans l'Union européenne, l'économie va beaucoup mieux et le pays devient de plus en plus riche. Cela va même être difficile pour nous de trouver une maison dans nos prix… Surtout avec un seul salaire.

Première gaffe*.

Je sentis comme une vague de chaleur m'envahir les joues.

Alix ne remarqua pas ce détail, elle continua.

– Est-ce qu'il fait froid en hiver ?

– Non, il ne fait jamais très froid, c'est un climat océanique. Il fait humide, il y a beaucoup de vent mais il ne gèle presque jamais. On dit même qu'il peut y avoir les quatre saisons dans une seule journée. C'est vrai que parfois, il y a tellement de vent, que le ciel se dégage à toute vitesse et on peut avoir un magnifique soleil cinq minutes après une énorme averse. C'est le pays des arcs-en-ciel !

Ma mère était intarissable, on aurait dit un guide touristique, elle voulait vraiment donner envie à Alix de venir en vacances chez nous !

J'ai failli dire à Alix qu'elle était un peu gonflée, je m'étais quand même tuée, deux mois plus tôt, à faire un exposé sur l'Irlande en cours de géo et j'avais donné toutes ces indications. Elle aurait pu écouter !

Alix continua sur sa lancée :

– Et le restaurant, il est bien ?

Je n'ai pas laissé la deuxième gaffe me gâcher la soirée, j'ai pris les devants. J'ai éclaté de rire ; si fort que ma mère a sursauté :

– Alix, ce n'est pas l'Angleterre, tous les restaurants sont bien en Irlande.

Ma mère ne comprenait plus rien et j'ai entraîné Alix dans ma chambre pour mettre fin à la conversation.

– Qu'est-ce qu'il y a ? J'ai dit une bêtise ? demanda Alix.

– Rien, c'est juste que si je pouvais passer ma dernière semaine avec toi sans penser que je pars bientôt vivre à Dublin, ça me ferait du bien.

– OK, excuse-moi.

Le lendemain, chez Sarah, ce fut à mon tour d'être intarissable sur Dublin. J'expliquai aux parents de Sarah : l'école horrible, sombre comme une prison avec de grandes grilles rouillées qui grincent (j'en rajoutais pour les faire frémir). L'uniforme vert bouteille, jupe plissée, chaussettes hautes et blanches,

le chemisier blanc, la veste. Tout ça de la même couleur, tous les jours de l'année. Les cours de langue gaélique*, obligatoires même si, comme moi, on n'en a jamais fait de sa vie. La pluie et le vent si fort qu'on ne peut même pas tenir un parapluie ; la nuit à 15 heures en hiver ; les maisons toujours très froides, pleines de courants* d'air. Le père de Sarah me demanda :

– Et, au fait, comment s'appelle le nouveau restaurant de ton père ?

– Je n'en sais rien, je crois que ça va changer de nom.

Ouf, je m'en tirais une fois de plus.

Je leur posai des questions sur Madrid. Sarah était plutôt contente d'aller dans une ville ensoleillée mais elle ne parlait pas un mot d'espagnol et ça lui faisait peur. Elle m'enviait en disant : « Au moins, toi, tu es bilingue, c'est facile. Moi j'irai à l'École française mais je ne pourrai même pas aller au cinéma ou me promener dans les rues. »

Son père la rassura : il avait déjà acheté un petit cahier de vacances en espagnol pour lui donner ses premiers cours cet été. Elle me lança un regard désespéré. Elle se voyait déjà en train de réviser pendant toutes les vacances.

Sarah demanda à son père s'il y avait des vols Madrid-Dublin. Elle avait la ferme intention de venir passer ses vacances chez moi. J'étais beaucoup moins enthousiaste qu'elle.

Chapter 4
Hello, Dublin!

Welcome to Ireland. That's what the billboard said as we were leaving the airport. The captain had announced the temperature and informed us it was raining. Thank you so much, but we had already noticed that the sky was gushing. I remembered that in this country they always give the temperature along with another quite handy indicator: the wind-chill factor. The wind-chill factor is the cooling effect of the wind. That means that if the temperature is 15 °C, and the wind is blowing like crazy, it feels like it's 8 °C. Nice! Yes, welcome to the country of rain and wind, that's what makes the landscapes so green!

In the arrival hall, my mother and aunt were on the other side of the glass panel, waving at me. I pretended not to see them. I wasn't that happy to be landing in Dublin. I've always hated September, but this particular one was worse than the others. And even if my holidays hadn't been great, they were still holidays…

For the first time, I had spent my holidays alone with my father, without my mother. That had been in a holiday club where he had insisted on my joining the teen group.

"Make new friends, have fun", he'd said.

I was in a bad mood. "I already have a lot of friends, what's the point of making new ones when I'll never see them again?"

He was always on the phone, and when I would ask who he was speaking to, he was evasive and would answer, "Someone you don't know" or "Nobody". But it was someone he knew well enough to spend hours on the phone with… I may be only 13 but I'm no fool!

My mother had been in Dublin since late July, looking for work. I felt like seeing her, but I hadn't thought she would bring my aunt to pick me up. I needed a little privacy, even if it were only to tell her about my holidays. As usual, my mother started speaking English but I answered in French. My aunt gave me an annoyed look. I'd forgotten that her French wasn't good enough to understand me. I switched to English, thinking: "God, now it will have to be English all the time."

My mother tried to lift my suitcase, saying: "Popo, what do you have in here? It's so heavy!"

"Please, Mum, don't call me Popo anymore. You know what it means here. We're not in France anymore, you know!"

"Yes, sorry, but it will be hard to break the habit. So, why is this suitcase so heavy, for God's sake?"

"I brought lots of things that you can't get over here."

My aunt was all the more annoyed, exclaiming: "Come on, Popo, this isn't the Sahara, you can find food and drinks here!"

"Aunt Mary, you can't understand, you've never lived in Paris."

She didn't answer, but I had to admit that the suitcase really was heavy. It's true that before taking me to the airport, Dad had proposed a little visit to the neighbourhood bookstore, and as he wasn't going to see me for the next six weeks, I had gone a bit overboard on the gifts. He had given me ten hard-cover comic* books that I was absolutely certain not to find in Dublin.

That's what I tried to explain to my mother and my aunt. Aunt Mary told me, "Come on Pauline, you're not a kid anymore, you're big enough to read real books rather than comic books, aren't you?" I saw my mother waving discreetly at her, implying "Not now, give her a break!"

Comfortably settled in the backseat of the car I looked out the window at the falling rain.

My grandmother's house is located in Dun Laoghaire (pronounced "Don Lairy") in the south of Dublin, close to the sea. That means even more wind than anywhere else! It's a very old house that the whole family is very proud of, but I've never understood why. That house is anything but cosy. The wind howls in the windows, if you walk on the first floor they can hear you in the basement, and if by any chance you jump a bit while you're playing, the whole house shakes, and you can hear the dishes jiggling in the cupboards. As a kid, I was always afraid it would fall apart.

My room was ready when I arrived. My mother had unpacked the big boxes and arranged my clothes in the old wardrobe. Everything else was in the attic*, until we found our own place.

I had already asked my mother if she had found a house, but she had said that her first priority was finding a job, as you need a salary to pay the rent*.

That's true.

"Furthermore", she said, "I thought you wanted to help me look."

It was true that I had said that.

During dinner, my mother looked me right in the eye and said, "Popo, I have some good news for you!"

She seemed so happy that I thought everything was over, we were going back to Paris, Dad and she were getting back together, and I was leaving the next day.

"I got a phone call this morning, confirming that you've been accepted at the French school. You won't have to wear a uniform, and above all you won't have to speak Gaelic! That's good news, honey, isn't it?"

I burst into tears.

She didn't understand why I was crying, so I said the first thing that came to mind.

"But I won't be with my cousins, and I won't know anyone. It's awful!"

"Come on, Popo, you don't know what you want! You're just making things harder. How can you be so selfish?" She was crying too, but I threw in a nasty little comment, "It wasn't my idea to leave Paris, was it?"

Then my grandmother told me off and went to comfort my mother. It was 6.30 pm, and dinner was over, as in Dublin you dine at 6 pm, especially at my grandmother's.

The evening seemed to drag on forever. At 9 pm, I was hungry. During dinner, I hadn't really touched my plate, because they had filled me up in the plane – the hostess had given me an extra portion. And Dad had given me a lot of stuff to eat before I boarded the plane. My grandmother was disappointed as she had prepared baked beans with tomatoes just for me. It was my favourite, or at least it had been when I was a kid.

They all have a lot of trouble remembering I'm not a kid anymore!

No luck with the television, as my grandmother doesn't have cable or a satellite dish, and she only watches the local programmes. That means nothing interesting. I tried to borrow my mother's laptop[*], but she needed it to work on her resumé[*]. I finally took one of the comic books I had brought, despite having decided not to read them before we had our own place.

Chapitre 5
Une vie de rêve

Finalement, en fouillant dans le tiroir de la petite table qui devait me servir de bureau, je trouvai du papier à lettres. C'est ce que j'avais de mieux à faire : écrire une longue lettre à Sarah et Alix. J'avais quand même pas mal de choses à leur raconter : mes vacances, mon installation à Dublin. On avait échangé quelques cartes postales et j'avais même téléphoné à Alix. J'avais plus de difficultés à joindre Sarah. J'avais envoyé la carte postale à son adresse de Paris car le courrier suivait pendant un certain temps. Mais, cela faisait déjà deux mois que je ne lui avais pas parlé, et pour cause, je n'avais pas son numéro à Madrid ! La seule solution pour l'instant, c'était le courrier. D'ailleurs, peut-être que dans une lettre j'aurais le courage de leur raconter toute la vérité sur ma nouvelle vie… Cela dit, je n'avais pas vraiment envie de leur faire une lettre triste. Je ne voulais pas qu'elles aient pitié de moi. J'avais plutôt envie de leur raconter des choses gaies et de les faire rêver un peu. J'ai bien dû recommencer la lettre trente fois. Ce n'est pas toujours facile de mentir, surtout à ses meilleures amies… À chaque fois que je voulais leur raconter mes vacances, tout ce dont je désirais leur parler me forçait à m'éloigner un peu plus de la vérité à propos de la situation familiale.

Au bout d'une heure, j'avais fait une courte liste de sujets à éviter, c'était plus simple.

– J'ai passé des vacances seule avec mon père : non.

– Mon père a passé son temps au téléphone avec une autre femme : non.

– Ma mère et moi avons emménagé chez ma grand-mère : non.

Est-ce que ma lettre avait encore quelque chose à voir avec la réalité ?

Mes petites chéries adorées Sarah et Alix,

Je suis obligée de vous faire une lettre commune parce que je suis DÉBORDÉE !!! Mais, ce n'est pas grave car comme on se dit tout, j'ai juste besoin de photocopier et c'est OK. En plus, j'ai la même chose à vous raconter. Je suis en ce moment dans mon lit, mais demain matin je descendrai au bureau de tabac du coin de la rue, ils font des photocopies et je posterai ma lettre car c'est aussi un bureau de poste. En fait, c'est assez rigolo, il y a de tout chez ce marchand : des fruits, des légumes, des chips (des centaines de variétés, promis, je penserai à vous quand je dégusterai mon paquet de chips saveur « crevettes sauce aurore », pourquoi on ne trouve pas les mêmes en France, c'est un mystère…). Ils vendent aussi des journaux par dizaines mais pas un seul magazine français, faut pas rêver… Et dans le fond du magasin, il y a un genre de minuscule bureau de poste. J'essaie de vous situer l'endroit et vous comprendrez, que si je vous écris souvent, je deviendrai vite énorme car à chaque fois que j'irai, je ne pourrai m'empêcher d'acheter ces déli-cieuses chips… Je vais commencer par les vacances, je vous passe celles chez mes grands-parents, il n'y a absolument rien à raconter, c'est d'ailleurs assez désespérant… Sauf qu'à la piscine, il y avait des Anglais que je connais un peu car leurs parents viennent tous les ans en vacances dans la région. Évidemment, ils parlaient souvent avec moi puisque j'étais la seule à les comprendre. Résultat : j'ai fait l'interprète pendant une semaine entre le plus âgé des deux Anglais, qui avait 15 ans, et une fille qui venait à la piscine. Elle avait 16 ans, et il fallait que je fasse la commission à chaque fois avec des trucs du genre : est-ce qu'elle a un petit ami ? Jusqu'à quelle heure elle peut sortir le soir ? Finalement, ils se sont donné rendez-vous devant l'église un soir

à 9 heures et comme j'étais la seule à être au courant, je l'ai dit à mes copines. On est allées les espionner en se cachant derrière le mur du cimetière. C'était assez poilant mais une de mes copines avait la trouille parce qu'on était à l'intérieur du cimetière !!! Elle a trop vu de films d'horreur… En plus, on essayait de parler tout bas pour ne pas se faire repérer, c'était assez rigolo, mais ils avaient vraiment du mal à se comprendre et ils ne sont pas sortis ensemble. Décevant… Enfin, en tous cas, pas ce soir-là, mais ils se touchaient la main en parlant… Passons aux vacances suivantes, au club en Gironde, puisque c'était le plus intéressant pour moi. Information principale : je ne suis TOUJOURS pas sortie avec un garçon cet été, ils étaient tous nuls et moches et passaient leur temps à regarder la télé au club et à jouer au billard (je précise que pendant ce temps-là, tout le monde était à la plage en train de s'amuser dans les vagues). Ceux qui faisaient du skate étaient pas mal mais, visiblement, ils ne savaient même pas que les filles existaient sur terre !!!!!! Je me suis fait des copines, rien à voir avec vous deux bien sûr, c'était sympa pour les vacances, mais je n'ai pas à mort envie de les revoir. Sauf une, Mélanie, assez cool mais un peu trop gothique* quand même. Son look faisait un peu pitié, mais ce n'est pas grave, elle était quand même sympa.

Il faut aussi que je vous parle de mon nouveau chez-moi. Je suis installée dans un appartement qui a une vue sur la mer, c'est assez génial. C'est un duplex et je suis dans la partie haute, à côté de la chambre d'amis, donc toute seule à l'étage, je peux écouter de la musique fort, il n'y a pas de voisins. Ma chambre est toute bleue et blanche et j'ai même la place d'y mettre un petit canapé, on va aller l'acheter samedi prochain. On a beaucoup de place et mon bureau est installé sur tout un mur. Pas comme mon bureau riquiqui* de Paris que je devais ranger toutes les trois minutes sinon tous mes livres tombaient… Ce qui est absolument top, c'est que j'ai ma propre salle de bains. Il y a une grande douche qui ferme avec une porte (pas un horrible rideau qui dégouline), un lavabo avec plein d'étagères sur les côtés et des WC à moi. Personne ne me demande de me dépêcher…

Le restau de mon père est presque terminé. C'est super classe, c'est en plein centre de Dublin et à l'intérieur, il y a une grande vitre qui sépare la salle de restaurant de la cuisine, comme ça, on peut voir les cuisiniers travailler. Mon père dit qu'il ne faut plus qu'il crache dans les assiettes des clients (blague).

Mes cousins m'ont promis qu'ils me présenteraient tous leurs copains, encore que les copains de Sean, qui a 9 ans, ne m'intéressent *PAS DU TOUT* ! Je n'ai pas osé lui dire, j'ai peur de le vexer…

Voilà je vous ai tout dit. Ah, j'allais oublier, je commence l'école dans cinq jours, j'ai eu une place à l'École française, pas d'uniforme, pas de cours de gaélique, youpi !

Signé :
La vice-présidente du club des baroudeuses*
plus connue sous le nom de Popo

PS : En vrai, j'avoue, ce n'est pas aussi bien que ce que je raconte… parce que vous me manquez atrocement !

Ça, je l'ai rajouté parce que j'avais honte d'avoir menti.

PS n° 2 : Alix, je veux savoir qui il y a dans la classe cette année, en plus du reste (c'est-à-dire tes vacances, etc.).

PS n° 3 : Sarah, je veux savoir absolument tout de Madrid, ta nouvelle maison, ton école, etc.

J'en aurais pleuré tellement c'était une vie de rêve, ce que j'écrivais. Mon chat était au bout du lit et me regardait d'un drôle d'air, comme s'il avait compris que quelque chose ne tournait pas rond. Avant de m'endormir, je lui ai fait promettre de ne rien dire. Évidemment, il n'a pas répondu.

Chapter 6
Three Boys in My Bedroom

Now I know what an earthquake* must feel like. I woke up being tossed around, my heart beating fast, really frightened. But it was just my three cousins who had come in to wake me up. They really know how to do it. They turn the mattress upside down without worrying about the person in the bed. My cat cowered in the corner. I heard my aunt shouting, "Don't wake her up, let her sleep a little bit. Come back here at once." She spends her life shouting like that, and it doesn't make the slightest difference. My mother always says, "Poor Mary, she should have had girls. She's overwhelmed by those three demons!"

The worst was when Fintan, the oldest, even before saying hello, started yelling, "She's got breasts, Popo's got breasts!" I was wearing a thin nightdress, and those three idiots had seen that I had breasts, at least slightly more than the last time I'd seen them, six months earlier. I would have killed them. And they kept on chanting, "Mummy was right, Popo has breasts." Thank you, Aunt Mary. I could have killed her, too. In the meantime she had come into my room and started yelling even more, "You can't say that to a young girl, that's outrageous!" Fintan said "She's not a young girl, she's Popo."

I couldn't believe I was going to see them EVERY DAY now!

Fintan said, "Get dressed, we're going skateboarding."

"OK," I said, "I'm coming." But none of them left the room. They were going through my suitcase and started searching in my backpack. Sean said, "Are you coming now?"

I needed to set things straight. "I won't even consider getting out of bed until you all leave my room!" I said, protecting myself from their inquisitive looks with the sheets and the bedspread.

"Oh, now she's as bad as other girls", Fintan retorted, "If you want, we'll give you money, and you show us your breasts."

That was it.

"Get out of my room or I'll tell Grandma!"

"OK, we'll wait for you downstairs, but hurry up. Hey, now that you're a real girl, how long does it take you to get dressed?"

"Just the time it takes to put on pants, socks, a pair of jeans and a tee-shirt, just like you, idiot! And probably even less, since I won't spend ten minutes in the bathroom carving spikes on my head with hair gel!"

Stephen and Sean were laughing hysterically, so Fintan shut them up with a slap on the head. But that didn't really help, since they fight all the time. My grandmother says they're worse than wild beasts.

The cat got out and I went to lock the door, in case they tried to come back. When I went downstairs, my grandmother, aunt and mother were in the kitchen, sipping tea. As soon as I entered the room, they shut up and started smiling at me. I knew them well enough to know that they had been talking about me.

"Hello Popo, did you sleep well? Wasn't your wake-up too rowdy? Wasn't that a wonderful way to welcome you?"

I took a glass of milk and a doughnut and went out to meet my cousins in the garden.

"Where's your skateboard?"

"I don't have one, I've never been on one."

"God, what are we going to do? Well, we'll have to lend you one."

"Don't worry, I'll just watch you."

"OK, but you'll have to learn, or we won't be able to do anything together."

We went towards the harbour, where there was a car park that was perfect for practising. On the way down there, Fintan took me aside.

"Popo, I'm going to need your help."

"What's up?"

"Well, listen, it's not easy, it may even sound a little weird… I'd like you to come and pick me up at school one of these afternoons, so that I could pretend you're my girlfriend."

I turned around to see if he was joking, but he wasn't.

"Are you mad?"

"No, it's just for my buddies* and for this girl too, she thinks I've never had a girlfriend, I just need to show her."

"And she'll think you're a goon* when she finds out I'm your cousin."

35

"No, because I won't say anything. She just has to think there's something, seeing me with a pretty girl."

"Come on, give me a break. Oh, alright. I'll do it, but with a few conditions: you will not hold my hand, not hug me and don't even *think* of trying to kiss me. Alright?"

"Of course not, I want *her* to be my girlfriend."

"And you think that if one girl comes to pick you up after school, another girl will fall in love with you?"

"Listen, I've seen how it works with you girls, you go out with boys who go out with a lot of other girls. The ones who are alone stay alone, and the others have a lot of fun. Haven't you ever noticed that?"

"That may be so, but your logic is all mixed up. In my opinion, it's because those boys know how to speak to girls, how to compliment them, and are the ones to hang out with girls without their pals* being around. The ones who never go out with girls are the ones who giggle like eight-year olds whenever there's a girl around."

"You think so?"

"Yes, I'm sure," I said.

"But will you please come?"

"Well, if you think it'll help."

"By the way, have you ever gone out with a boy?"

"Of course", I said in a very firm tone, but I got out of the conversation before he asked for too many details.

Inside of me, a little voice said "Stop lying all the time…"

But it was pretty hard to give him advice, when instead of being an expert, I didn't have any experience.

Chapitre 7
Allô, Papa ?

– Bonjour ma chérie.

– Oh, bonjour Papa, comment vas-tu ?

– Je vais bien, mais raconte-moi vite comment tu vas, toi ! J'ai hâte de savoir. Maman m'a dit que tu avais une place à l'École française et, si mes informations sont bonnes, tu as commencé ce matin ! En plus, tu es veinarde*, je suis sûre que tes cousins, eux, sont retournés à l'école il y a déjà une semaine.

J'ai trouvé que mon père avait une toute petite voix. Ça me faisait tellement plaisir de l'entendre mais j'avais presque honte d'avoir écrit deux pages à Sarah et Alix, alors que je m'étais contentée de lui téléphoner rapidement depuis mon arrivée.

Évidemment, il avait de mes nouvelles par Maman. Ils s'étaient parlé longuement au téléphone deux jours plus tôt. Oui, j'avoue, j'étais derrière la porte pour écouter mais toute leur conversation tournait autour de détails pratiques. Impôts, demande de bourse pour financer l'École française, changement d'adresse, domiciliation bancaire… mais toujours pas le plus petit signe du mot « divorce ». C'était déjà ça…

La fin de la conversation parlait principalement de moi. À les entendre, j'étais un genre de bête féroce qu'on avait intérêt à manipuler avec précaution.

«Pas de changement, disait ma mère, elle est toujours aussi furieuse d'avoir quitté Paris… Elle parle très souvent de Sarah et Alix. Mais je ne comprends pas pourquoi elle ne m'a pas encore demandé l'autorisation de les inviter ici pour les vacances… D'ailleurs, continuait ma mère, il faut qu'on pense à organiser les vacances de la Toussaint*… Non, je crois que ce n'est pas les mêmes dates ou c'est moins long, il faut que je vérifie tout ça au plus vite… Ça m'embête un peu de te demander ça, mais est-ce que tu pourras payer son billet d'avion si elle vient te voir?… Non, je n'ai pas encore signé mon contrat. Même si je signe demain, ma première paye ne tombera que dans un mois et j'ai vraiment hâte de déménager… Il n'y a pas grand-chose… à la fois proche de chez Maman et de chez Mary, mais aussi avec des bus à proximité pour Popo, c'est toujours plus pratique si elle doit aller en ville ou voir des amies.»

Mentalement, l'exercice était difficile. Il fallait que je raconte tout un tas d'événements à Papa en faisant attention car je n'étais pas censée savoir ce que lui et Maman s'étaient dit au téléphone…

J'essayais de me concentrer…

– Oui, enfin, Papa, tu sais comment c'est le premier jour, on ne travaille pas vraiment ! On a eu notre emploi du temps mais ce n'est pas comme à Paris, on n'a pas de changement d'un jour à l'autre. On commence tous les jours à 8 h 30 et on termine à 15 h. En plus, les élèves ne changent pas de salle, ce sont les profs qui viennent dans notre salle de classe.

– Ah, alors, c'est mieux qu'à Paris, dit mon père.

— Bof, pas vraiment, parfois je terminais aussi à 15 h à Paris.

— Comment ça se passe pour le déjeuner ?

— Ça, en revanche, c'est sûr que c'est mieux mais ça ne pouvait pas être pire que la cantine de la rue du Commerce… On apporte notre boîte pour le déjeuner avec des sandwiches et des trucs que Maman prépare la veille. Il y a un micro-ondes si on veut faire réchauffer un plat.

— Combien de temps avez-vous pour déjeuner ?

— Une demi-heure, et ensuite on peut sortir dans la cour pendant une demi-heure. On peut aussi aller à la bibliothèque pour travailler ou emprunter des livres en français.

— Ils ont beaucoup de choix ?

— Je n'en sais rien parce que je ne suis pas encore inscrite, j'ai juste visité les locaux. De toute façon, c'est plutôt pour les anglophones, ça les fait progresser en français. Moi, j'ai besoin de lire en anglais, Maman dit que je manque de vocabulaire. Papa ?

— Oui ?

— Tu sais à quoi j'ai pensé quand j'ai ouvert ma boîte pour le déjeuner ?

— Non.

— Je me suis dit que ça aurait été génial que tu ouvres un restaurant à Dublin, parce que comme ça, pour ma boîte du déjeuner, tu m'aurais rapporté des plats du restaurant et j'aurais mangé à peu près correctement…

Mon père changea aussitôt de sujet, il devait bien se souvenir qu'il avait un jour projeté de venir ouvrir un restaurant à Dublin.

— Et tes profs, ils ont l'air gentil ?

— Oui, assez, mais je vais être obligée de travailler

beaucoup parce qu'on n'est que douze dans la classe ! Il y a cinq anglophones, trois bilingues dont moi et quatre Français dont deux qui viennent d'arriver.

– Est ce qu'ils viennent de Paris ?

– Non, il y en a une qui vient de Kuala Lumpur et l'autre d'Athènes. Leurs parents travaillent à l'ambassade ou quelque chose comme ça.

– Et, au fait, en quelle langue vous parlez pendant la récréation ?

– Il n'y a pas de récréation, papa, on est en 4e !

– Oui, excuse-moi, mais tu ne vas pas me faire croire que tu ne parles pas avec les autres, ce serait quand même très étonnant ! Alors, en quelle langue vous parlez entre vous ?

– Ça dépend avec qui. Avec les bilingues et les anglophones, je parle en anglais, c'est plus simple et avec les francophones, je parle en français. Tu comprends, pour les anglophones, déjà c'est super difficile de suivre tous les cours en français, alors pour se reposer, ils préfèrent parler anglais. Ce qui m'énerve c'est qu'ils parlent tous de trucs que je ne connais pas, des séries télé, des chanteurs. Et le pire, c'est que les francophones ne connaissent pas les mêmes trucs que moi non plus ! La fille qui vient de Kuala Lumpur m'a dit ce matin : « Tu sais, quand tu es aussi loin de la France, tu te contentes de peu… Moi, à Kuala Lumpur, je relisais les vieux *Mickey* de mon petit frère parce que je n'avais rien d'autre… Avec ma mère, quand on venait en France, on repartait avec vingt kilos de livres en plus dans nos bagages… » Surtout que ce n'est pas avec la télé de Mamie que ma culture va s'arranger. Elle regarde les chaînes irlandaises, il n'y a vraiment rien…

– Popo, je te rappelle quand même qu'à Paris tu n'avais pas souvent le droit de regarder la télé, j'espère que tu ne vas prendre de mauvaises habitudes à Dublin !

– Pas de risques…

– Ah, au fait, avant que j'oublie, tu as reçu une lettre d'Espagne, bien épaisse, je suppose que c'est Sarah qui t'écrit, tu veux que je l'ouvre ou c'est extrêmement confidentiel ?

– Non, Papa, ne l'ouvre pas, je ne sais pas ce qu'elle raconte…

– C'est bien ce que je pensais, ne t'en fais pas, je la mets demain à la poste avec le courrier de Maman.

– Et toi Papa, quoi de neuf ?

– Rien, je travaille beaucoup, comme d'habitude, mais la maison est vraiment bien vide sans toi !

– On se voit quand ?

– Ben, je ne sais pas, pour les vacances sans doute.

– Je voudrais venir pour les vacances de la Toussaint.

– Oh, mais c'est loin, tu viens à peine de commencer l'école !

– Pas si loin que cela… et j'ai envie de voir Papi et Mamie aussi.

Chapter 8

Getting Ready for Halloween

"Popo, you really are hard to please."

"Mum, do you really feel like living above the railway and not sleeping at night because of the trains?"

"May I remind you that *you* want to live near the sea, and that the railway follows the shore? What else can we do?"

"We could live further south, in Dalkey, couldn't we? There are places with no railway."

"But Popo, it's outrageously expensive then, and if there are no trains how could I get to work in the morning?"

"And on top of everything, there are only two bedrooms!"

"Honey, there're just the two of us…"

"And it will be freezing cold in winter when the wind blows."

"Those are the pros* and cons of living by the sea. We'd have a front seat to watch the storms…"

We were standing in the kitchen of a flat that probably hadn't been repainted for thirty years. You could guess where the electrical appliances used to be by the black spots they had left on the wall near the sink.

It's true. I'm hard to please. But all the flats that we had visited so far were really ugly. She wants me to imagine what they could look like after some refurbishing, but it's not refurbishing that they need, it's reconstruction…

She says that I must be patient because you can't find the ideal flat in two days. But we've been looking for four weeks now, and I really feel like leaving my grandmother, who is always asking me to be kind to my mother. My grandmother tells me I'm too demanding, that when she was young,

nobody would have complied with the requests of a child. But I already know that! She's always saying the same things: that they didn't have much to eat, that for Christmas they were happy if they got an orange. That usually, when they finally had decided to eat it, the orange had already started to rot… That they wore wooden clogs on weekdays and they had only one pair of leather shoes that they would wear to go to mass… That the leather of those shoes was so hard that they caught blisters every time they wore them… That families had six or seven kids at least, more often ten or twelve, and that nobody had any money and they would only eat every other day. And that she was sad because she had lost so many friends who left for England, Australia or America, because families didn't have any other solution but leaving the country.

"I lost my friends too", I said to my grandmother while I was waiting for the postman, expecting a letter from Sarah or Alix.

"But honey, you'll see your friends again, they're just a two-hour flight away. And you can even talk to them on the phone. I never saw my friends again, you know…"

"So why didn't your family leave too?"

"Because we had even less money than the others. We tried, but every time we managed to get enough money to pay the fare, some sort of catastrophe would prevent us from leaving. Once my younger brother was ill, and we used the money to pay the doctor and the hospital. Another time the war broke out and made us wonder if we really wanted to cross the ocean with all these submarines. After the war, it was too late for my parents to leave and start a new life, so only my two older sisters left for Australia. You remember them, don't you? You saw them three years ago when they came with their grandchildren."

All I remembered was their funny accent.

My mother and I have signed a pact. We won't visit flats together anymore since it's too complicated. I'm the one who doesn't want to visit, so I said I would agree with whichever one she chooses. She swore that nothing was definitive and if she gets a better job, we'll take a larger flat. I sure hope nothing's definitive: since Dad and she haven't actually divorced yet, there's still a slight chance that we'll go back to Paris, like before…

Today, my mother came back home with my plane ticket to Paris. I'll spend the midterm holidays in France. Too bad I won't be in Dublin for Halloween… My cousins' disguises are ready, they're dressing up as vampires. My grandmother has sewn Dracula cloaks for them. It's pretty cute, since they all are different heights and they look like a vampire family. But they sound a bit silly since they can't speak well with their false teeth! One day, Sean wore his disguise all afternoon after he realised that it made Grandma's neighbours' dog howl like a wolf. He just had to look at the dog through the fence with his false teeth, and the dog went crazy! Grandma didn't realise it was Sean's fault, and she spent the afternoon grumbling about that unbearable dog.

"Their children were impossible, and now that they're gone, their dog is turning into a real nightmare. Take care not to let him bite you, he's getting more and more dangerous. Last week he attacked the milkman…"

My cat watches the dog from the window, it's safer. I told Sean that it was no use speaking or playing with

the cat, as he only undershood French, and that idiot believed me! Now I have to speak French to the cat whenever my cousins are around.

Stephen brought me his French exercises so that I could correct them. It only took me a few minutes but there were a lot of mistakes. My mother said I should do the exercises with him so that at least he could understand what his mistakes were. He gave me a euro for that while he was playing with his Gameboy. I'm saving money, so I'll be able to do some shopping in Paris.

I promised Alix that I'd spend Halloween with her. I'll bring zombie masks, and we'll ask her neighbours for sweets. Besides, they give her sweets all the time, even when it isn't Halloween.

The three of us are getting together for the holidays since Sarah's coming to Paris, too. She'll be staying with her grandparents. Alix was supposed to go on holiday with her sister and her parents, and she had to argue for a week to be allowed to stay in Paris at Sarah's grandparents. And Sarah had to ask them to let Alix stay, but that was pretty easy, since they always do what they can to make her happy. I told my friends I'll stay at my grandparents, because I can't tell them I'll be seeing my father in Paris !

Chapitre 9
Mon plan minable

— Quand as-tu prévu de voir Alix et Sarah ? demande mon père dans la voiture, en revenant de l'aéroport.

— Je ne sais pas encore, il faut que je m'organise avec elles et aussi que j'aille voir Papi et Mamie.

— Tu pourrais les inviter à tour de rôle à la maison. Si tu veux, tu viens avec l'une d'elles au restaurant tous les soirs et ensuite je vous raccompagne à la maison pour vous coucher. Je suis sûre que ça leur ferait plaisir de dîner au restaurant ! Donne-moi le numéro de téléphone de Sarah, je vais demander à ses parents s'ils sont d'accord pour que vous restiez seules une heure ou deux à la maison, le temps que je fasse la fermeture.

Panique à bord !

— Papa, ce n'est pas la peine de leur téléphoner. En plus, Sarah et Alix sont chez les grands-parents de Sarah et ils sont plutôt du genre inquiets.

— Tu es sûre ? Vous n'êtes plus des bébés !

— Si, vraiment ! En plus, Alix est en pension chez les grands-parents de Sarah, on ne va pas la laisser seule avec eux.

– Ah oui, je n'avais pas pensé à ça.

– Moi, si. Et chez nous, c'est un peu petit pour qu'on dorme à trois dans ma chambre. L'idéal pour nous trois, ce serait que je passe déjeuner avec toi tous les midis après le service, puis je rejoindrais Alix et Sarah et on passerait la soirée toutes les trois. La chambre de Sarah chez ses grands-parents est vraiment grande et, de toute façon, ils sont d'accord pour qu'on dorme chez eux pendant toutes les vacances. Alors, tu vois, c'est plus pratique.

– Tu ne dormiras pas un seul soir à la maison ?

– Si, je resterai avec toi lundi soir quand le restaurant est fermé, là au moins on pourra se voir tranquillement.

– C'est bien ce qui me semblait, tu as tout prévu !

– Pas complètement, parce que il faut aussi que j'aille voir Papi et Mamie. Je ne sais pas si je vais aller dormir chez eux ou pas.

– Fais-le vite, ils ont hâte de te voir, ils m'ont appelé trois fois cette semaine pour savoir quand tu venais…

Aussitôt arrivée, j'ai téléphoné à Sarah et lui ai proposé mon organisation. Elle était super contente que l'on dorme toutes ensemble chez ses grands-parents ! Alix était installée depuis le matin chez eux. Il était convenu qu'on s'y retrouve vers 16 heures. J'essayais de me convaincre que ce n'était pas si compliqué que ça. Le principal était que toutes ces personnes ne se rencontrent pas.

Mes amies pensaient que j'étais en vacances chez mes grands-parents et qu'ils étaient vraiment sympas de venir me laisser dormir tous les soirs chez les grands-parents de Sarah.

Mon père pensait que j'étais en vacances chez lui mais il me laissait dormir chez les grands-parents de Sarah. J'avais réussi à le persuader qu'il était vraiment difficile que Sarah et Alix viennent chez lui…

Quant à mes grands-parents, les pauvres ! Eux que j'étais quand même censée voir tous les jours, j'avais bien du mal à les caser dans ce planning délirant ! Mais il était hors de question que je leur consacre beaucoup de temps, il fallait quand même que je voie mon père…

C'était ça mon plan minable.

La semaine passa trop vite. C'est dingue, le temps que ça prend de se raconter nos vies, installées sur les matelas dans la chambre de Sarah. Sa grand-mère venait régulièrement nous rappeler à l'ordre : « Les filles ! Il est temps d'éteindre et de dormir. »

À peine la lumière éteinte, la conversation reprenait. Alix était la plus coriace, elle nous forçait à rester éveillées, surtout quand elle nous parlait. Elle nous braquait sa lampe de poche dans les yeux. Quand elle sentait qu'on était presque endormies, elle nous racontait une histoire d'horreur, elle en avait tout un stock. Notre record, ce fut quatre heures du matin.

Le lendemain à midi, mon père me dit : « Tu as vraiment une petite mine. »

Comme prévu, j'ai passé une nuit chez mes grands-parents et eux aussi m'ont fait remarquer que

j'avais une petite mine. Ce soir-là au moins, à dix heures je dormais à poings fermés.

Mon principal souci, c'était les déplacements mais là encore j'avais de la chance. Mes grands-parents habitent sur la même ligne de bus que mon père : il n'y avait donc pas de souci quand Sarah et Alix me raccompagnaient à l'arrêt du bus. C'était crédible, elles pensaient que j'allais chez mes grand-parents, elles trouvaient juste que je passais vraiment beaucoup de temps avec eux.

Je comptais vraiment leur parler de la séparation de mes parents, j'avais trouvé une explication presque plausible*. J'avais l'intention de me tirer de mon mensonge avec un autre mensonge moins gros. Par exemple, que mon père était avec nous à Dublin au début mais que finalement avec Maman, ça n'allait plus et qu'il était revenu à Paris pour reprendre son restaurant. Ça collait presque.

Et puis, le jour où je pensais avoir enfin trouvé le courage de leur révéler la vérité, la conversation s'engagea sur une fille de la classe de Sarah. De sa nouvelle classe à l'École française de Madrid. La fille s'appelait Éva.

– Au début, disait Sarah, je la trouvais assez sympa mais très vite je me suis aperçue qu'il y avait deux ou trois choses qui n'allaient pas chez elle. Elle disait que son père travaillait à l'ambassade et qu'ils habitaient sur place.

Mais Sarah, en la raccompagnant, l'avait vue tourner au coin de la rue pour prendre une autre direction. Son adresse sur les documents de l'école n'était pas celle de l'ambassade.

– Mais pourquoi elle fait ça ? demanda Alix.

– Je ne sais pas, sûrement parce qu'elle pense que ça la rend plus intéressante. Elle passe son temps à dire qu'elle connaît très bien tel ou tel acteur, sans se rendre compte que tout le monde s'en fiche.

– Elle a des amis ?

– Non, justement, pas tellement. C'est pour ça qu'elle essaie toujours de se lier avec les nouveaux.

– Les nouveaux comme toi, à la rentrée.

– Oui, remarque, j'étais bien contente de l'avoir, personne ne m'adressait la parole.

– Tu sais des trucs sur elle, maintenant ?

– C'est difficile de savoir, ce qui est sûr c'est que c'est une MENTEUSE.

Le mot était lâché.

– Pathétique ! dit Alix.

– Oui, pathétique, dit Sarah.

– Peut-être qu'elle est très malheureuse, ajoutai-je.

Chapter 10
Mum Is Always Right

I had hardly set a foot in the Arrivals lounge of the airport when my mother said, "You're not looking too good, I hope you didn't catch a cold in Paris!"

"No, I'm fine, I'm just a little tired."

"Are you kidding?" she said, "you're tired at the end of the holidays?"

"I'll rest here, it's easier to rest when you're bored…"

"By the way, how are Sarah and Alix?"

"Don't you want news about Dad? Don't you want to know if living alone is hard for him?"

"Popo, may I remind you that I did not abandon your father, and I did not kidnap you as you seem to believe sometimes. It was our mutual decision, and our married life is none of your business. Furthermore, I talked to him on the phone last night."

"Alix and Sarah are fine, they say hi."

"It's strange for me not to see them anymore, when I've been seeing them twice a week since you were in nursery school."

"Don't you think it's even stranger for me?" I grumbled.

"Is Sarah settling in Madrid?"

"Well, so-so."

"Is she learning Spanish?"

"Um…! I don't know…"

"What did you talk about?"

"Everything else…"

"When are they coming?"

"Coming where?"

"Here. When are they coming to Dublin?"

"I don't know."

"Didn't you invite them?"

"But we don't have a flat yet, do we?"

"True, but we'll have one before the next holidays."

"Do you really think so?"

"Of course I do!"

"Anyway, the next holidays are at Christmas, and they usually spend Christmas with their families…"

"Well, they could come right after Christmas. There's more than a week afterwards, until New Year's Eve."

"But, Mum! It's a bit risky for them to take their ticket as we don't have our own flat yet!"

"Why?" my mother said, "We could always arrange something with Grandma. There's plenty of space there, what difference would it make? You'd want to sleep together, wouldn't you?"

"So what would we do?"

"It's pretty easy: we would take the mattress from Grandma's sofa, Mary can lend us one too, and that wouldn't be a problem. Life is about adapting, honey!"

That's what bugs me about my mother, she's always right. But I hadn't said my last word.

"Well listen, their parents are a little tight*."

"Since when?"

"Mum, I don't know! It's a bit embarrassing to ask."

"That's not a problem, there are those very cheap flights now, and once they're here, they won't have to spend a cent. You definitely have to invite them!"

"And when they're here, what will we do? You think I want to take them to see the seals in the harbour?"

"We'll visit the city, we'll go see the waterfall in Powerscourt, we'll go for a ride in the Wicklow mountains to see the turf* pits."

"You'll take Mary's car?"

"Popo, haven't you noticed anything?"

"Oh yeah, this car is new, whose is it?"

"We've been driving for half an hour, and you finally realised you are in a new car! How do you like it?"

"It's great, whose is it?"

"Mine. Well, not totally, since it belongs to my company. It's a part of my package as the new head of IT* for the Murphy Group."

"I thought you were only there on a temporary assignment…"

"That's the other good news of the week: temporary turned into permanent. They liked my work enough to give me a permanent contract."

"Mum, what's the other good news?"

"The car, Popo! You really are tired…"

That was true, I was expecting some other good news. A brand new house, for instance. But the car was already turning into the street where my grandmother lived.

Chapitre 11
Ma nouvelle amie

— Ma vie est très compliquée : j'écris des lettres à mes deux meilleures amies qui sont installées dans deux villes différentes, une en France, l'autre en Espagne. Je veux leur raconter la même chose alors je fais des photocopies de la lettre mais elles me répondent forcément des trucs différents puisqu'elles ne sont pas au même endroit et ne vivent pas les mêmes choses. En plus, j'ai besoin de noter les choses que j'ai à leur dire car j'en oublie puisqu'on ne se voit pas tous les jours. Et à la fin, j'ai envie aussi de leur écrire des choses différentes car elles ne vivent pas les mêmes choses…

— PAULINE, CESSEZ DE BAVARDER !

— Pourquoi tu ne leur écris pas des e-mails ?

— Ça aussi, c'est compliqué. J'envoie des e-mails depuis l'ordinateur portable de ma mère. Déjà, elle ne me le laisse pas beaucoup, elle travaille presque tous les soirs. Mais en plus, elle pourrait lire mes e-mails, et ça, c'est hors de question.

— Tu n'as qu'à les supprimer quand tu as fini d'écrire.

– Tu parles, ma mère est informaticienne, elle est capable de te retrouver n'importe quoi sur le disque dur.

– PAULINE, C'EST LE DERNIER AVERTISSE-MENT !

– Faut que j'arrête sinon je vais me prendre une heure de colle*, on mangera ensemble à midi, si tu veux.

– Oui, pas de problème.

– PAULINE, APPORTEZ VOTRE CARNET DE CORRESPONDANCE !

Chères Alix et Sarah,

Il va falloir que j'arrête de vous faire la même lettre, ça devient trop compliqué. Pour la prochaine, j'ai une idée, je vous ferai deux lettres différentes mais je les photocopierai afin que vous soyez chacune au courant de ce que j'écris à l'autre et qu'on puisse suivre ce qui se passe dans la vie des autres. Il faut quand même que je vous explique que j'ai eu une heure de colle à cause de vous !!!!!

Vous êtes totalement responsables car j'étais en train de parler de vous à Lou, dont je vous ai peut-être déjà parlé la dernière fois mais je ne m'en souviens plus. Et, comme à chaque fois que je parle de vous, je ne peux plus m'arrêter, la prof de maths (oui, évidemment, c'était en cours de maths) m'a donné une heure de colle pour m'apprendre à me taire. C'est donc assez normal que je vous parle de Lou puisque je l'ai saoulée pendant des heures en lui racontant combien vous étiez sympas toutes les deux...

D'abord, avant toute chose, j'ai eu une grande conversation avec ma mère. C'était un jour où je me plaignais que la vie était mal faite et que je m'ennuyais de vous deux et que je n'avais pas de copines à Dublin, bref la vérité quoi !

Ma mère m'a dit que si je n'avais pas de copines, c'est parce que je ne voulais surtout pas en avoir et qu'il n'y avait aucune chance que je me fasse des copines tant que je serais fermée comme une huître* prête à mordre (ça mord les huîtres ?). Ma mère a continué en me disant que j'avais été invitée à l'anniversaire d'une fille de ma classe et que je n'avais toujours pas répondu alors que c'était dans deux jours. C'est vrai, j'avais complètement oublié, et c'était justement l'anniversaire de Lou. Le lendemain, quand je suis arrivée à l'école, j'ai dit à Lou que je la remerciais pour son invitation et que je serais contente d'y aller. Elle m'a regardée avec des yeux tout ronds et elle m'a dit: « Ah, ben, c'est pas trop tôt ! Je croyais que tu ne savais même pas que j'existais ! En fait, t'es pas muette* ! »

Je lui ai raconté ma vie et elle m'a raconté la sienne. Elle est comme moi : sa mère est irlandaise et son père est français. Sauf qu'elle, elle n'a jamais vécu à Paris mais elle y va toutes les vacances depuis qu'elle est toute petite et elle adore. Elle voudrait y vivre plus tard. Elle aimerait bien travailler dans la mode (faut être lucide, ce n'est pas à Dublin que ça se fera, il n'y a pas beaucoup de fringues bien). Physiquement, c'est tout comme moi aussi : cheveux longs, yeux bleus, peau claire, ni grosse ni maigre, sauf qu'elle fait dix centimètres de plus que moi, du coup, on lui donne plus en âge…

Bon, j'espère que vous êtes bien jalouses… Elle est HYPER sympa et j'ai hâte que vous la rencontriez. Je lui ai montré vos photos que je transporte toujours avec moi dans mon portefeuille. Elle vous trouve très mignonnes et elle m'a demandé si vous étiez déjà sorties avec des garçons. J'ai dit non (à moins, Sarah qu'il y ait du nouveau de ce côté-là ??? Comment va le dénommé Javier ? Est-ce qu'il t'a demandé ton numéro de téléphone ?) et elle non plus, on est toutes les quatre au même point. La première qui a un amoureux (tenir la main, Alix, ça compte pas, même longtemps…) doit offrir un cadeau aux autres. Maintenant, avec Lou, ça va devenir encore plus cher, faites des économies, puisque ce sera trois cadeaux…

À part ça, rien de nouveau, il faut que je travaille plus en maths, visiblement le niveau dans la classe de l'année dernière était moins élevé que dans ma nouvelle classe. Et dire, les filles, qu'on était super contentes d'avoir toujours des 18 !!!!! Dites-moi si c'est pareil pour vous… En français, c'est super, parce que déjà pour les francophones qui sont allés en classe en France, c'est plus facile. Et comme pour l'anglais, ça va forcément aussi, je m'en sors bien.

Signé : Popo

Vice-présidente du club des baroudeuses

Championne du monde de manger de M&M's sans

croquage de cacahouète (seule dans sa catégorie)

PS : Il faut quand même que je vous dise un truc très important : ça ne va pas fort entre mon père et ma mère, séparation dans l'air…

Chapter 12

Fintan in Love

"Hey, don't forget, I'll be waiting for you tomorrow," my cousin said, "or we'll have to put it off for another week. Tomorrow is the only day we both leave at the same time."

"By the way, what's your girlfriend's name?"

"Fiona."

"Like in *Shrek*?"

"Yes, like in *Shrek*, but there are a lot of Fionas in Ireland. There are two in my class."

The next day, I had to hurry on my way out of school. Lou wanted to have a quick chat, but I told her I had to meet a boy. She grabbed my arm and said "You're going to meet a boy, and you didn't tell me!"

"Forget it, Lou, I'm just joking, the boy is my cousin."

"You have a cousin?"

"I have three."

"How old are they?"

"9, 12 and 15, I'll introduce you to them, if you're interested…"

"No, I was just being nosy*."

"Anyway, they're ugly and unbearable."

I arrived at Fintan's school at the agreed time. I could see him, hanging around with his mates*, discreetly waving at me. Suddenly he sped towards me like a rocket. He grabbed of my arm and whispered:

"Don't move, we're just talking. Here she comes with her friends."

"Which one is she?"

"The pretty one."

"That doesn't help me much."

"The one with the raspberry bag."

"The one with spots on her face?"

"Yes", he said sounding annoyed.

It's true that it isn't easy to identify someone when they're all wearing the same uniform. Three girls were walking slowly towards us.

"Hi there Fintan, you alright?"

"Hi, Fiona."

The two other girls were looking at me and chuckling in a strange way. Finally, they kept on walking, but Fiona turned around.

"Hey Fintan, you find your girlfriends in nursery school?"

The other two started laughing hysterically. Obviously, Fiona didn't wait for Fintan's explanation, and they were almost gone before he managed to say a word. He's naturally red, but he now looked like a boiled lobster.

"I warned you that it wasn't a good idea," I said, mad at them for taking me for a little kid.

"Do you think she's pretty?" my cousin asked, trying to recover.

"I think she's stupid."

We decided to go to my grandmother's for the rest of the afternoon. On our way, I gave Fintan a lesson on "how to pick up girls", as if I had a lot of experience.

"It's easy, girls like when boys don't start with, 'Do you want to go out with me?' right away. First you have to be friends. Well, that's my theory anyway."

Fintan wasn't convinced and said, "It can work if the girl is a little in love with you already… and if she isn't always with her two stupid girlfriends."

Then he must have got bored with the conversation because he changed the subject. He asked, "You aren't too sad about your parents getting divorced?"

"But they aren't getting divorced, they are just separated."

"Is there any difference between divorce and separation?"

"Of course. A separation means that they haven't made up their mind yet. A divorce is much more definitive."

"That's just words since in fact they don't live together anymore. Especially your parents. One in Dublin, and the other in Paris, how could things improve?"

"They can always improve," I said angrily.

"I think you're fooling yourself. Anyway, I would too if my parents got divorced… or separated. You don't look too upset though. Of course, we don't really know how you feel, since you never talk about it."

"Who could I talk about it to?"

"I don't know, to us or to Grandma."

"It's a little awkward* to discuss in front of my mother."

"My mother says you never discuss it because it makes you sad."

"No, I'm not sad, I don't really care. The only thing that bugs me is that I had to leave Paris."

"You're talking rubbish, I am sure you spend hours talking about it with your French friends."

"They don't even know."

"Don't even know what?"

"That my parents are separated."

"How can you hide something like that from them?"

"I'm not hiding anything, I just haven't had the opportunity to tell them, that's all!"

"Stop splitting hairs. It's the same thing: they don't know something very important about your life."

"You tell your friends everything?"

"Yes, but not always on the spot. Sometimes I wait a little. For instance, when Granddad died, I didn't say anything the day I found out, I told my friends the next day, when I was sure I woudn't cry."

"It's the same for me, I haven't found the right to tell them."

"If you really didn't care, you would've told them already."

Chapitre 13

Une rencontre compromettante

— Papa ?

— Popo !

— Maman t'a dit pour mon 9 en maths ?

— Non, mais je constate que comme je ne suis plus là, tu te laisses aller sur les maths…

— Bon, je ne veux pas te faire de peine mais tu n'y es pour rien…

— Pourquoi ?

— Parce que la prof que j'ai à l'École française est très exigeante, beaucoup plus que celle de l'année dernière à Paris. Elle n'arrête pas de demander : mais, vous n'avez pas déjà vu ça l'année dernière ?

— Tu sais ce qui t'attend les prochaines vacances ?

— Non.

— Un petit stage* de maths avec ton papa, une heure tous les matins pour que tu progresses.

— Merci ! Ça donne tout de suite envie d'être en vacances.

— Devine qui j'ai rencontré hier dans la rue ?

— Je ne sais pas.

— Alix !

Le fameux gloups est revenu, la boule dans la gorge est montée tout de suite, je n'arrivais plus à parler.

– Popo ?

– Oui.

– J'ai cru que la ligne était coupée, je ne t'entendais plus.

– Non, non, je suis là.

– Elle avait l'air très surprise de me voir, ta copine ! Elle m'a demandé de tes nouvelles, elle voulait savoir si ça se passait bien à Dublin.

– Et qu'est-ce que tu as répondu ?

– Que tout s'arrangeait pour le mieux pour toi, que la situation n'était pas toujours facile mais que ça allait.

– Qu'est-ce qu'elle t'a demandé d'autre ?

– Heu, attends, je ne me souviens pas très bien.

– Justement, essaye de te souvenir, s'il te plaît.

– Mais, je ne sais pas, on a parlé de choses et d'autres, elle voulait savoir si le restaurant marchait bien.

– Lequel ?

– Comment ça lequel ?

– Non, excuse-moi, et qu'est-ce que tu lui as dit ?

– Mais, que ça allait. Cela dit, je trouvais bizarre qu'elle me demande des nouvelles de mon travail.

– Et ensuite, vous avez parlé de quoi ?

– Dis, je n'ai pas enregistré la conversation !

– Mais, essaie de te souvenir !

– Elle a dit qu'elle avait hâte de te voir et je lui ai dit que moi aussi.

– C'est tout ?

– Je crois que c'est tout, Madame l'espionne.

Voilà. Le moment que je redoutais le plus est arrivé. Je ne sais pas ce que je vais bien pouvoir faire.

Écrire à Alix ? Lui téléphoner comme si de rien n'était, du style : « Alors, il paraît que tu as rencontré mon père à Paris, il était venu pour deux jours, c'est dingue que vous vous soyez rencontrés ! Quelle coïncidence ! »

Ou bien ne rien dire, attendre qu'elle n'y pense plus.

Ou bien ne plus jamais lui donner de mes nouvelles, ne plus répondre à ses lettres, ni à ses e-mails, ni à ses coups de téléphone, rompre aussi avec Sarah.

C'était vraiment trop bête. J'ai aussitôt envoyé un e-mail à Alix pour lui en parler. Le téléphone, c'était trop risqué, ma voix me trahirait. Et les lettres mettaient trop de temps à arriver.

De Pauline à Alix
Objet : Hello
Il paraît que tu as vu mon père à Paris, tu sais que mes parents vont sûrement se séparer (c'est presque officiel). S'il te plaît, sois franche avec moi, est-ce que mon père t'a paru étrange ? Est-ce que son comportement était normal ? Parce que sincèrement je ne le trouve pas très en forme, je crois qu'il n'accepte pas bien la situation...

Dix minutes plus tard, un message arrivait sur l'ordinateur.

De Alix à Pauline
Objet : Re : Hello
Ouais, c'était dingue que je le rencontre, non ? Il ne doit pas venir souvent à Paris ! Lui, il n'a pas paru trouver ça bizarre qu'on se rencontre à Paris. Mais, pour répondre

à ta question, je ne le connais pas assez bien pour dire s'il était en forme ou pas. C'est difficile à dire, il était normal. Il ne m'a pas semblé très triste. Je crois que tu te fais du souci pour rien…

De Pauline à Alix
Objet : Re Re : Hello
En fait, il faut que je te dise un truc : je crois qu'il va rester à Paris. À part ça, tu as des nouvelles de Sarah ? Je lui ai envoyé un e-mail il y a quatre jours et elle n'a toujours pas répondu…

De Alix à Pauline
Objet : Re Re Re : Hello
Laisse tomber, son ordinateur est en rade, comme j'en avais marre qu'elle ne réponde pas, je lui ai téléphoné (en cachette de mes parents mais pas longtemps, à peine cinq minutes). Elle va bien mais elle a beaucoup de travail à l'école, la semaine dernière, elle a eu quatre contrôles le même jour…

J'ai un truc vachement important à te dire…

De Pauline à Alix
Objet : Re Re Re Re : Hello
Quoi quoi quoi ????????

De Alix à Pauline
Objet : Re Re Re Re Re : Hello
C'est délicat, mais je crois que je suis au courant depuis plus longtemps que toi que ça ne va pas bien entre tes parents… Ma mère a rencontré ta mère avant les grandes vacances et elle lui a dit que vous partiez à Dublin sans ton père. C'était horrible comme situation,

parce que je ne savais pas ce qu'ils t'avaient dit exactement ! Excuse-moi, mais j'étais obligée de faire comme si de rien n'était, c'est assez difficile de mentir à sa meilleure amie… tu me pardonnes ?

De Pauline à Alix
Objet : Merci !

Tu es la plus géniale de toutes les amies de la terre, la fille la plus délicate et la plus gentille qui existe. Et ça s'appelle pas mentir, c'est autre chose. Moi aussi je le savais que ça allait très mal, mais j'ai eu l'espoir que tout s'arrange, c'est un peu bête ! Est-ce que tu l'as dit à Sarah ?

De Alix à Pauline
Objet : Re : Merci !

Non, je ne lui ai pas dit, je ne voulais pas faire de secrets entre nous, j'ai gardé tout ça pour moi. Pas facile pour une bavarde !

Chapter 14

Our Flat is Ready

"Mum, you never told me you spoke to Alix's mother before the summer holidays."

"Spoke about what, honey?"

"You told her Dad and you were separating."

"Well, it seemed reasonable to tell her, we've gotten pretty well acquainted since Alix and you have been friends for so long!"

"You could have told me!"

"Told you what? I've spoken to her a million times without your knowing about it. I don't need your permission!"

"And you talk about us?"

"Yes and also about us adults; you aren't our only subject of conversation."

"So I've noticed!"

"Popo, I have a big question for you: what colour would you like your room?"

"Blue and white, why?"

"To tell the painter."

"Shouldn't we find a flat first?"

"I knew I'd forgotten to tell you something important!"

"What?"

"We'll be moving in a month."

"What? You found a flat?"

"Yes, and I've signed the lease* already because it was urgent, I wasn't the only who thought it was very pleasant…"

"Well I hope I'll like it!"

"I have no doubt about it: it's perfect."

"Does it overlook the sea?"

"Yes."

"How many rooms?"

"Two bedrooms plus a lounge and a kitchen. It's a duplex, the second bedroom is upstairs and has a balcony. The large bathroom is upstairs and there's a smaller one en suite with the other bedroom down-stairs. Just one thing, the staircase is tiny, not much more than a ladder. I'm not sure I'll be able to come up much to clean your room… I don't even know how we'll get the vacuum cleaner up there."

"I swear I'll take care of it, I can even sign a note if you want."

"OK, write the contract and we'll see."

"How did you find it?"

"Mary heard about it, it's in their estate*. She went to see it and called me right away. She asked the land-lord* to reserve it until the evening, so that I could see it. I went there after work and I signed the lease on the spot. I wanted to surprise you, but I was worried about the colour of your room. Remember, two years ago, your favourite colour was pink…"

"Yuck!!!"

"And last year it was purple…"

"Yuck again!"

"So you're sure you want blue and white? What kind of blue, by the way?"

"Blue, you know the kind of blue you'd have in a lagoon."

"Isn't a lagoon sort of green?"

"No, Mum, it's blue, you never heard of blue lagoon? And when can I visit our new home?"

"On Monday if you wish, I'm meeting the painter there. I have quite a busy day, and afterwards I'll see the lawyer…"

"What for?"

"To sign the documents for the divorce. Your father and I have decided to clarify the situation."

The following morning, I realised my situation had really changed. My parents really were getting a divorce, there was no more secret, and I was going to live in a new home. My new address was 26 Harbour Terrace. Neither Sarah nor Alix had ever wondered why they had to write to me at my grandmother's, maybe they hadn't even noticed that detail. It was a Saturday. My mother came into my room, carrying my breakfast on a tray. She wasn't the type of person to do that kind of thing, it usually meant she had something urgent to tell me and that she didn't feel like waiting until I would finally get up…

"Popo, I have a surprise for you."

"Another one? Good or bad? Good I hope!"

"It couldn't be better, but it means the painter will have to finish his work quickly…"

"Why?"

Alix's mother called this morning, Sarah and Alix just bought their tickets. They'll be here on December 26, around 2 pm.

Chapitre 15

Des touristes sur le port

C'est très long d'attendre. Nous sommes arrivées à l'aéroport à 13 h 30 pour être sûres d'être bien à l'heure. C'était important, parce que Sarah et Alix ne parlent pas assez bien anglais pour se débrouiller toutes seules dans l'aéroport.

J'aurais dû apporter un livre, le temps ne passe pas vite. Maman se penche vers moi :

– Tu aurais dû apporter un livre, Pauline.

– Merci, Maman, ne retourne pas le couteau dans la plaie. En plus, avec tous les devoirs que j'ai pour les vacances…

Désormais, elle fait bien attention à m'appeler Pauline quand nous sommes entourées de personnes parlant anglais.

Après trois quarts d'heure à attendre sur les sièges métalliques, durs et froids, de l'aéroport, l'avion est enfin annoncé. Il faut encore attendre que Sarah et Alix récupèrent leurs bagages.

Finalement, je les repère derrière la vitre, je fais de grands signes, elles sautent en l'air pour tenter de m'apercevoir par-dessus la foule.

Huit jours, c'est très court, trop court !

Notre première après-midi est déjà passée à la vitesse de l'éclair.

Dès leur arrivée à la maison, nous nous sommes installées dans ma chambre pour parler. On a bien ri toutes les trois, surtout quand je leur ai raconté les efforts démesurés que j'ai faits pour éviter qu'elles ne découvrent la vérité à propos de mes parents lors des vacances de la Toussaint. Parce que je leur ai tout dit.

— Mais Popo, comment as-tu fait avec tes grands-parents ? Tu les avais mis dans la confidence* ? me demande Sarah

— Non, je n'avais rien dit à personne donc je mentais à tout le monde, c'est d'ailleurs ce qui était le plus difficile…

— Tu ne les a pas vus du tout pendant les vacances…?

— Si quand même ! J'ai dormi un soir chez eux. Mais c'est tuant de toujours penser à ne pas faire de gaffes !

Le lendemain, nous sommes allées sur le port pour voir les phoques*. J'ai dit à Alix et Sarah :

— Venez, on va voir les phoques, parce que sinon, ma mère va en faire une maladie, elle pense que c'est l'attraction principale.

Alix et Sarah sautèrent de joie.

— De vrais phoques, dans le port ?

— Oui, répondis-je, je ne sais pas si ce sont les mêmes que quand j'étais petite mais, si c'est le cas, ils sont vraiment là depuis longtemps. Ils restent là car ils ont tout le temps à manger.

En fait, Alix et Sarah n'avaient jamais vu de phoques en liberté, elles pensaient qu'il fallait aller au pôle Nord pour en voir !

La marchande de poissons nous donna des têtes de poissons à leur jeter. Les phoques sautaient hors de l'eau pour les attraper. Sarah et Alix essayaient de repérer à quel phoque elles avaient donné le plus de nourriture.

– Non, disait Sarah, c'est le gros phoque qui a tout eu !

Ma mère les prit à part un instant :

– OK, les filles, il faut que je vous dise quelque chose, tout le monde vous regarde… « Phoque » en anglais, c'est un très très gros mot, très vilain. Vous pouvez essayer de dire « otarie » à la place ?

Deux de mes cousins nous rejoignirent. C'était Stephen et Fintan, Sean était parti à un anniversaire. Je fis les présentations. Mes cousins étaient rouges comme des tomates, visiblement, ça leur fait toujours ça quand ils parlent à des filles. Sarah et Alix continuaient à parler de phoques, se reprenant à chaque fois pour dire « otarie ».

Fintan me regarda avec un drôle d'air.

"What are they saying?"

"Theyre saying '*phoque*' because it means 'seal' in French."

"No kidding?"

Il appela aussitôt Stephen.

"Stephen, do you know the French word for 'seal'?"

"No."

"You won't believe it!"

"Come on, say it."

"It's '*phoque*'."

Ils partirent tous deux d'un éclat de rire gigantesque et s'approchèrent de la jetée. Fintan se planta devant les phoques qui attendaient encore un peu de poisson.

Il prit son plus bel accent français pour dire :
« Bonjour monsieur le phoque ».

Rien que cette petite phrase les faisait se tordre de rire.

Ma mère se tourna vers moi et me lança un regard furieux.

Effectivement, tout le monde nous regardait bizarrement.

VOCABULAIRE / VOCABULARY
QUIZ
PARIS / DUBLIN

BONUS

Bande dessinée :
suite de dessins qui racontent
une histoire.

Baroudeur/Baroudeuse :
personne qui aime l'aventure
et les voyages.

Colle : (familier) punition
qui consiste à obliger un élève
à rester dans l'établissement
scolaire en dehors des heures
de cours.

Confidence : secret partagé.
*Mettre quelqu'un dans la
confidence :* lui dire un secret.

Courant d'air : souffle de vent
entrant dans une maison.

Cuisiner/Cuisinière : personne
qui fait la cuisine dans un
restaurant.

Gaélique : langue d'origine
celte parlée en Irlande.

Gaffe : (familier) parole ou acte
maladroit, que l'on aurait
pas dû dire ou faire devant
les personnes présentes à ce
moment-là.

Gothique : du Moyen Âge.
Se dit des personnes qui
s'habillent et se maquillent en
noir, portent tatouages
et piercings et s'intéressent
à la sorcellerie, au monde
fantastique et au Moyen Âge.

Huître : mollusque à coquille,
qui se mange.

**Informaticien /
Informaticienne :**
professionnel de l'informatique,
c'est-à-dire des logiciels et des
ordinateurs.

Muet/Muette : qui ne peut pas
parler.

Muter : donner un autre poste
à une personne, au sein
de la même entreprise
mais dans un lieu différent.

Phoque : gros animal au poil
ras, qui mange du poisson et vit
dans l'eau et au bord de l'eau,
en général dans les régions
froides de la planète.

Plausible : vraisemblable.

Provisoire : qui ne va pas
durer.

Riquiqui : (familier) tout petit.

Stage : période de formation
ou de perfectionnement.

Toussaint : fête catholique
et jour férié en France
(le 1er novembre).
Les vacances de la Toussaint
sont les premières vacances de
l'année entre la rentrée et Noël.

Veinard/Veinarde : (familier)
qui a de la chance.

Attic: room at the top of a house just under the roof.

Awkward: uncomfortable, not elegant and embarrassing.

Buddy: (informal) friend.

Comic book: book or magazine, often for children, with stories told in pictures.

Draughty: full of wind entering.

Earthquake: shaking of the ground caused by movement of the earth's crust.

Estate: large area of land that is the property of one person.

Fishmonger: person who sells fish.

Gaelic: Celtic language spoken in Ireland.

Goon: person who behaves in a silly way.

Harbour: water area on the coast where boats are "parked".

IT: "Information Technology". Computer system maintenance.

Landlord/Landlady: if you pay another person for the right to live in a house or flat that is his/her property, that person is your landlord/landlady.

Laptop: computer that can be closed like a notebook to be carried.

Lease: official written agreement by which the owner allows someone else to use his/her property (house, flat…) for a period of time in return for money.

Mate: (informal) friend.

Nosy: (informal) curious, interested in things which are not his/her business.

Pal: (informal) friend.

Pros and cons: advantages and disadvantages.

Rent: money you pay every week or month in exchange for the right to live in a house or flat that is another person's property.

Resumé: short text in which you tell what you have done in your professional life and that you send to companies when you apply for a job.

Seal: big animal with short hair, that eats fish and lives partly on land and partly in the sea, usually in cold parts of the world.

Tight: (informal) who don't have very much money to spend.

Turf pits: place where you can find vegetable matter that is a natural combustible.

CHAPITRE 1

1. *Pourquoi les parents de Pauline viennent-ils dans sa chambre ?*
a. Pour lui dire de ranger sa chambre.
b. Pour lui annoncer qu'ils se séparent.
c. Pour lui offrir un IPod.

2. *Où va habiter Pauline ?*
a. Chez son père, à Paris.
b. Chez sa mère, à Paris
c. Chez sa grand-mère, en Irlande.

CHAPTER 2

3. *What languages does Pauline speak?*
a. Gaelic and French.
b. English and French.
c. English and Chinese.

4. *Does Pauline's Grandma know that Pauline and her mother are coming to Dublin ?*
a. Yes
b. No

CHAPITRE 3

5. *Qu'annonce Sarah ?*
a. Elle part vivre à Madrid.
b. Elle part vivre à Dublin.
c. Ses parents se séparent.

6. *Que cache Pauline à ses amies ?*
a. Son départ pour Dublin.
b. La séparation de ses parents.
c. Qu'elle n'aime pas l'Irlande.

CHAPTER 4

7. *Pauline spends her holidays:*
a. with her friends Sarah and Alix in a teen group.
b. with her parents by the sea.
c. with her father at a holiday club.

8. *Where will Pauline study?*
a. At the French School.
b. At the same school as her cousins.
c. At home.

CHAPITRE 5

9. *Qu'a fait Pauline pendant ses vacances ?*
a. Elle a eu un amoureux.
b. Elle a espionné des amoureux.

10. *Quand Pauline raconte qu'elle a un bel appartement en Irlande, elle ment car*
a. il n'est pas beau.
b. elle n'habite pas en Irlande.
c. elle habite chez sa grand-mère.

CHAPTER 6

11. *Pauline is woken up by*
a. an earthquake.
b. a clock.
c. her three cousins.

12. *Fintan wants Pauline*
a. to be his girlfriend.
b. to pretend to be his girlfriend.
c. to talk to his grilfriend.

CHAPITRE 7

13. *Pauline a écouté une conversation téléphonique entre*
a. son père et sa mère.
b. son père et la maîtresse de ce dernier.
c. sa mère et sa grand-mère.

14. *Dans la classe de Pauline à l'École française, les élèves sont*
a. francophones.
b. anglophones ou bilingues.
c. anglophones, francophones ou bilingues.

CHAPTER 8

15. *Who will choose the flat?*
a. Pauline's mother.
b. Pauline.
c. Pauline and her mother.

16. *During the holidays, Pauline will meet*
a. Sarah and Alix in Paris.
b. only Alix in Paris.
c. Sarah and Alix in Dublin.

CHAPITRE 9

17. *À Paris, où Pauline va-t-elle dormir le plus souvent ?*
a. Chez son père.
b. Chez ses grands-parents.
c. Chez les grands-parents de Sarah.

18. *Quand Pauline va déjeuner avec son père, ses amies pensent*
a. qu'elle va chez ses grands-parents.
b. qu'elle va chez ses parents.
c. qu'elle va faire du shopping.

CHAPTER 10

19. *Why doesn't Pauline want to invite her friends?*
a. Because she's living at her Grandma's.
b. Because she hates Dublin.
c. Because they would find out that she's been lying.

20. *The two pieces of good news are that Pauline's mother found*
a. a car and a house.
b. a car and a job.
c. a job and a lover.

CHAPITRE 11

21. *Pauline a eu une heure de colle*
a. parce qu'elle a bavardé en classe.
b. parce qu'elle est nulle en maths.
c. parce qu'elle a été insolente avec son professeur.

22. *Comment s'appelle la nouvelle amie de Pauline ?*
a. Alix
b. Lou
c. Sarah

CHAPTER 12

23. *What does Fiona think about Fintan?*
a. He has a girlfriend.
b. He's a great person.
c. He's silly.

24. *Fintan thinks that Pauline*
a. is sad because of her parent's break-up.
b. doesn't care about her parent's break-up.
c. doesn't know about her parent's break-up.

CHAPITRE 13

25. *Le père de Pauline a croisé*
a. Sarah à Paris.
b. Alix à Paris.
c. Alix à Dublin.

26. *Qui a dit à Alix que les parents de Pauline se séparaient ?*
a. Sa mère.
b. Sarah.
c. Pauline.

CHAPTER 14

27. *Their new home is just what Pauline was dreaming of.*
a. True
b. False

28. *Pauline's parents are*
a. temporary separated.
b. getting divorced.
c. getting back together.

Réponses / Answers p. 94

Le Paris de Pauline

Tout le monde connaît les images de la Tour Eiffel ou de l'Arc de Triomphe mais, Paris, c'est aussi une foule de quartiers pittoresques.

Moi, quand je vais me promener, j'adore aller à **Montmartre**. Mais je ne reste pas du côté du **Sacré-Cœur** et de la **place du Tertre**, bien trop touristiques ! Ce que je préfère, ce sont les jolies petites rues de ce quartier, si minuscules qu'aucun car de touristes ne peut y entrer, comme la rue de l'Abreuvoir ou la rue Cortot. J'adore y aller à pied, le matin, quand il n'y a personne. Certaines rues se terminent par des escaliers car Montmartre, c'est une colline : on monte et on descend beaucoup. Même le cimetière de Montmartre est un endroit charmant. Il est immense et on peut y voir les tombes de gens très célèbres comme le musicien Berlioz ou la chanteuse Dalida (ma mère l'adore…). Mais, surtout, une colonie de chats s'y est installée. Ils ne se laissent pas caresser mais on peut les admirer pendant leur sieste, tranquillement allongés sur les tombes !

Ce que j'aime aussi, c'est flâner le long des **quais de la Seine** : quai Henri IV, quai d'Orléans… Sur l'**île Saint-Louis**, j'adore aller acheter des glaces chez un très célèbre glacier. Mon père dit que c'est le meilleur de Paris. On doit faire la queue pendant un quart d'heure mais ça vaut le coup : il y a plein de parfums extraordinaires ! Mes préférés sont « Chocolat blanc » et « Thé Earl Grey ».

Avec Alix et Sarah, on adore aller faire du shopping dans le **Marais**. C'est super branché. Pourtant c'est un quartier très ancien, situé derrière l'**Hôtel de Ville** et qui se découvre à pied. Dans ses ruelles étroites, on est toujours le nez en l'air à regarder les vieilles maisons populaires et les splendides hôtels particuliers.

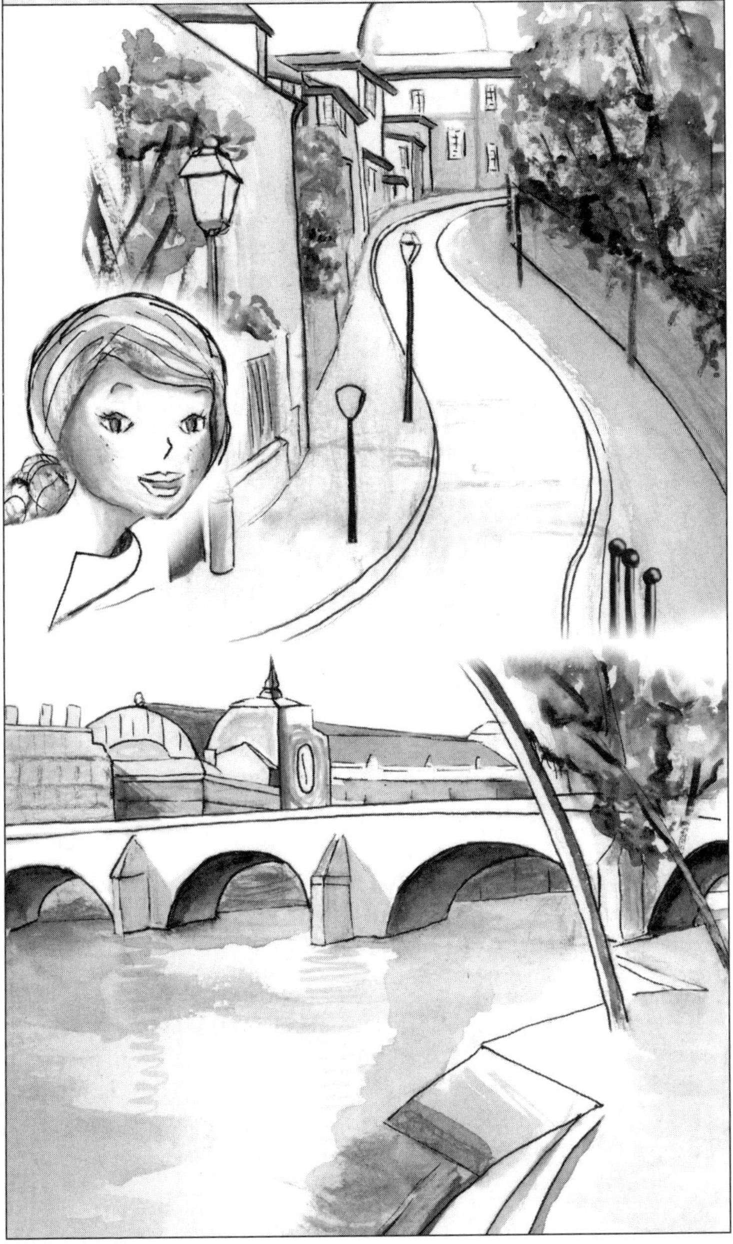

Pauline's Private Dublin

Dublin is the capital of Eire, the Republic of Ireland, and it's also the largest city in Ireland. One great thing about Dublin is that in just a half an hour from the city center, you can be in a totally wild region: the **Wicklow Mountains**. The landscape there is similar to **County Connemara**, a popular area on the West Coast. In the mountains, as far as the eye can see, there's nothing but turf pits, sheep and waterfalls… but no houses or shops. My mother loves it, but personally I think it's a bit boring.

Even if all Irish people speak English, the traditional language of Ireland is Gaelic, and Dublin, like every place in Ireland, also has a Gaelic name: **Baile Atha Cliath**. That's about the only word I know in Gaelic!

Dublin is cut in two by the River Liffey. I like to cross the river on **Ha'penny Bridge**, which is only for pedestrians. The other famous bridge, **O'Connell Bridge**, is very odd, because it is wider than it is long! But the place is so crowded you won't even notice it.

When I was a little girl, my grandmother used to take my cousins and me to **Phoenix Park**. It's the largest park I've ever seen: there are deers, a zoo and the President's residence (I'm not kidding!).

Dublin is known for its **Georgian houses**, built between 1720 and 1800. Their beautiful colourful doors are so famous that you may have seen them on a poster, or on the cover of this book, *Secret Divorce*!

One of my favorite places in Dublin is **Temple Bar**. It's not a bar, it's a neighbourhood! It's a pedestrian zone full of bars with people drinking Guinness: I don't know how they can stand that dark and heavy drink… Yuck! Anyway, Temple Bar is full of music, artists, people in funny clothes and trendy galleries: I can't wait to take Sarah and Alix there!

1 b	15 a
2 c	16 a
3 b	17 c
4 a	18 a
5 a	19 c
6 b	20 b
7 c	21 a
8 a	22 b
9 b	23 c
10 c	24 a
11 c	25 b
12 b	26 a
13 a	27 a
14 c	28 b

Score

● Tu as moins de 14 bonnes réponses
Less than 14 correct answers

➔ Tu n'as sans doute pas aimé l'histoire...
Didn't you like the story?

● Tu as de 14 à 20 bonnes réponses
Between 14 and 20 correct answers

➔ Y a-t-il une langue où tu te sens plus à l'aise ?
Which language is easier for you?

● Tu as de 20 à 25 bonnes réponses
Between 20 and 25 correct answers

➔ Bravo !
Tu as lu attentivement !
Congratulations.
You read attentively!

● Tu as plus de 25 bonnes réponses
More than 25 correct answers

➔ On peut dire que tu es un lecteur bilingue !
You really are "a dual reader"!

Table des matières / Table of contents

BONUS

Achevé d'imprimer en France par France Quercy
N° d'imprimeur : 60531A